7세
초능력 한글 쓰기는
이런 점이 좋아요!

7세에게
꼭 필요한 부분을
7세에 맞게!

바르게 글자를 쓰는 습관을 길러야 하는 6~7세의 수준을 고려하여 글자의 짜임과 글자 쓰는 순서를 크고 자세하게 나타냈습니다.

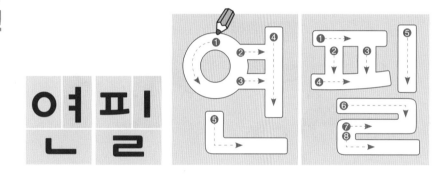

엄선한 주제로
다양한 어휘 학습!

일상생활과 관련한 22개의 주제를 뽑아 꼭 알아야 할 관련 어휘 132개를 선정하여 실었습니다.

1단계는 명사, 2단계는 동사와 형용사로 구성하여 다양한 어휘를 품사별로도 익힐 수 있게 하였습니다.

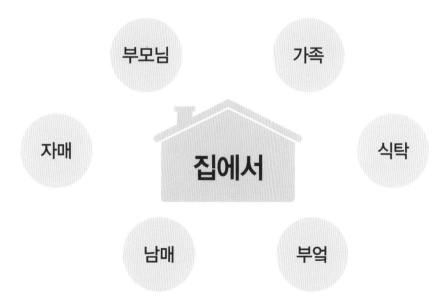

부모님

가족

자매

식탁

집에서

남매

부엌

7세 **초능력 한글 쓰기**의 구성과 활용법

1

주제와 관련한 중요한 낱말을 익혀요.

그림을 통해 무엇을 배울지 주제를 알아 보고, 관련 낱말을 다양하게 익힐 수 있습니다.

> 학부모 tip으로 엄마표 한글 쓰기 학습이 가능합니다.

2

글자의 짜임과 글자 쓰는 순서를 익혀요.

글자의 짜임과 글자 쓰는 순서를 자세히 알아보고, 여러 번 따라 쓰며 연습할 수 있습니다.

> '글자의 모양대로 따라 쓰기'를 통해 글자의 모양, 간격, 크기를 생각하며 글자를 바르게 쓰게 됩니다.

7세

초능력

한글 쓰기

명사 학습

1단계
7세

왜 7세의 **한글 쓰기**가 중요할까요?

한글 쓰기가 중요한 까닭

아이에게 '초능력'이라는 글자를 써 보게 하세요. 어떻게 쓰고 있나요?

글자 모양이 제각각이에요.

쓰는 순서가 틀려요.

글씨가 가지런하지 않아요.

한글을 익히는 데에만 집중하다 보니 정작 글자를 쓰는 순서를 잘 모르거나 바르게 쓰지 못하는 경우가 많아요.

글자를 바르게 쓰는 습관은 어릴 때부터 길러집니다. 요즘은 특히 컴퓨터나 스마트폰을 많이 사용하면서 글자를 쓰는 일이 줄어들다 보니 악필로 이어지는 경우가 많다고 해요. 글씨는 쓰는 사람의 마음을 담고 있다는 말이 있어요. 그만큼 예쁘고 단정한 손 글씨는 쓰는 사람과 읽는 사람의 마음을 차분하게 해 준답니다.

이렇게 한글 쓰기를 지도해 주세요.

글자를 예쁘게 쓰기 위한 기본은 올바른 순서를 지켜 쓰는 것입니다.

바른 자세로 앉아 연필을 바르게 쥐고 정해진 순서와 칸에 맞게 글자를 쓰면 자연스럽게 예쁜 글씨를 쓰게 됩니다.

먼저 순서를 차분히 익힌 후, 흐린 글자를 따라 써 보고, 스스로 빈칸을 채워 쓰도록 하는 것이 좋습니다.

그리고 어린이들이 많이 사용하는 색연필, 크레파스, 연필 등으로 쓰는 것이 좋고, 어른들이 주로 쓰는 볼펜이나 샤프펜슬은 쓰지 않는 것이 좋답니다.

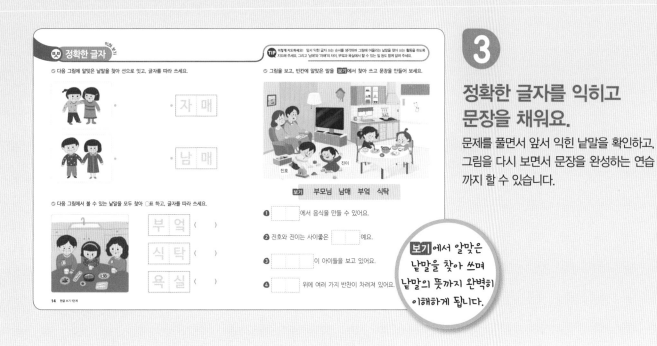

③ 정확한 글자를 익히고 문장을 채워요.

문제를 풀면서 앞서 익힌 낱말을 확인하고, 그림을 다시 보면서 문장을 완성하는 연습까지 할 수 있습니다.

보기에서 알맞은 낱말을 찾아 쓰며 낱말의 뜻까지 완벽히 이해하게 됩니다.

한글 쓰기를 하기 전에 이것만은 꼭!

- 연필의 아랫부분을 잡습니다.
- 연필을 너무 세우거나 눕히지 않습니다.
- 엄지손가락과 집게손가락의 모양을 둥글게 하여 연필을 잡습니다.

▶왼손으로 잡기

▶오른손으로 잡기

연필을 바르게 잡아야 예쁜 글씨를 쓸 수 있어요.

7세 초능력 한글 쓰기의 차례

명사

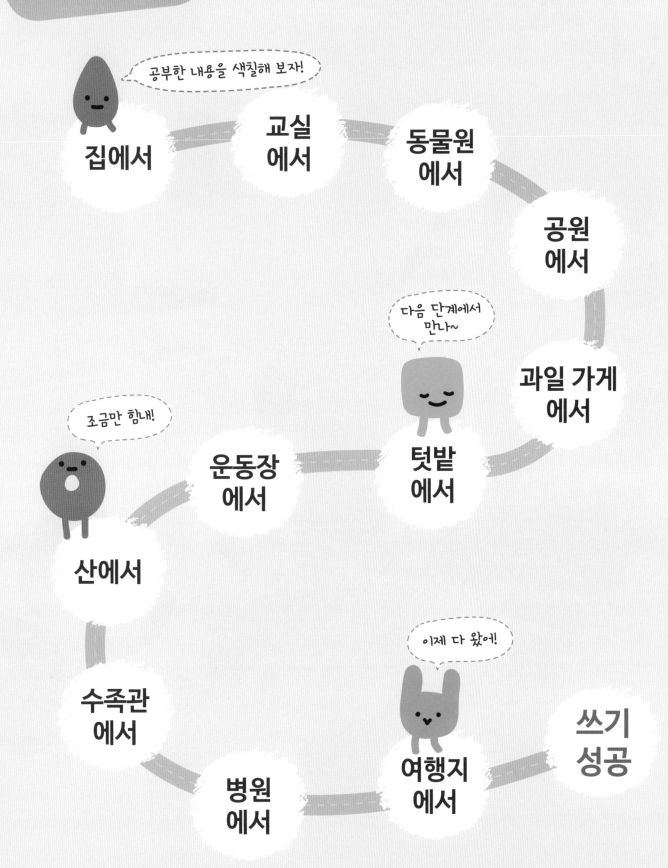

공부한 내용을 색칠해 보자!

집에서 · 교실에서 · 동물원에서 · 공원에서 · 과일 가게에서

다음 단계에서 만나~

텃밭에서 · 운동장에서

조금만 힘내!

산에서 · 수족관에서 · 병원에서 · 여행지에서 · 쓰기 성공

이제 다 왔어!

집에서

부 모 님

가 족

남 매

부엌

자매

식탁

TIP 이렇게 지도하세요!

아이에게 가장 익숙한 공간인 집과 관련한 낱말을 익힙니다. 먼저 부모님, 형제, 남매, 자매 등 가족 구성원에 대해서 이야기를 나누어 주세요. 거실, 부엌, 화장실과 같은 집 안 공간에 대해 이야기하고, 그 공간에서 볼 수 있는 물건들의 이름을 말할 수 있게 해 주세요. 그런 다음 그림 속 낱말을 살펴보면서 글자를 큰 소리로 읽고, 따라 쓰도록 지도해 주세요.

✔ 글자가 어떻게 만들어졌는지 잘 보고, 순서에 맞게 쓰세요.

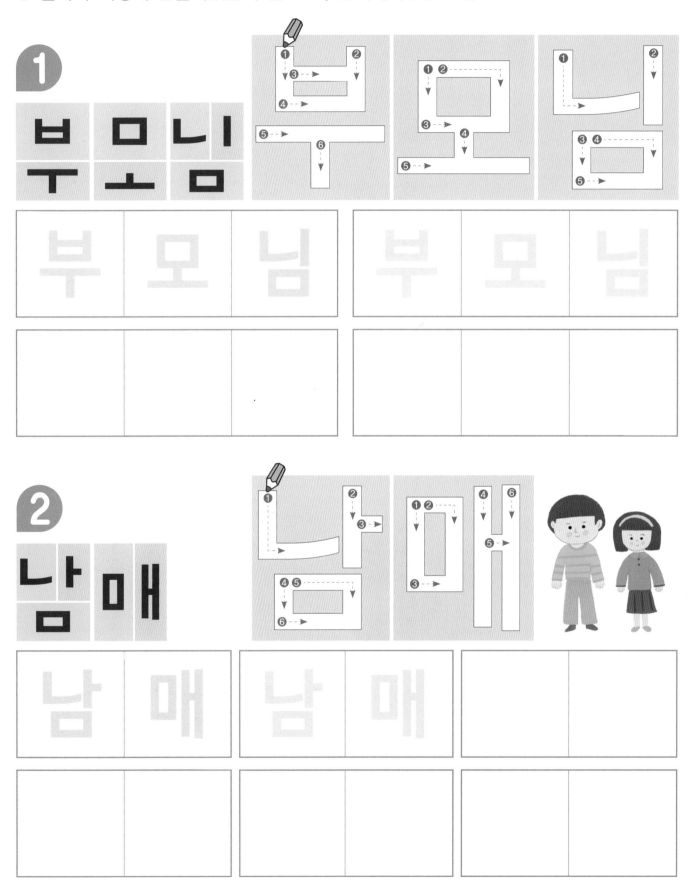

TIP **이렇게 지도하세요!** 먼저 어떤 자음과 모음이 만나 글자가 만들어졌는지 짜임을 알려 주시고, 글자를 쓰는 순서를 설명해 주세요. 특히 'ㅂ'과 'ㅌ'의 글자 쓰는 순서에 주의해서 글자를 쓸 수 있도록 지도해 주세요.

③

가 족

④

부 억

글자의 짜임 알아보기

☑ 글자가 어떻게 만들어졌는지 잘 보고, 순서에 맞게 쓰세요.

5

자매

자	매	자	매		

6

식탁

식	탁	식	탁		

부 모 님

가 족

남 매

부 엌

자 매

식 탁

✅ 다음 그림에 알맞은 낱말을 찾아 선으로 잇고, 글자를 따라 쓰세요.

✅ 다음 그림에서 볼 수 있는 낱말을 모두 찾아 ○표 하고, 글자를 따라 쓰세요.

 (   )

 (   )

욕 실 (   )

TIP **이렇게 지도하세요!** 앞서 익힌 글자 쓰는 순서를 생각하며 그림에 어울리는 낱말을 찾아 쓰는 활동을 하도록 지도해 주세요. 그리고 '남매'와 '자매'의 차이, 부엌과 욕실에서 할 수 있는 일 등도 함께 알려 주세요.

✅ 그림을 보고, 빈칸에 알맞은 말을 **보기** 에서 찾아 쓰고 문장을 만들어 보세요.

진이

진호

보기 부모님 남매 부엌 식탁

① [　　] 에서 음식을 만들 수 있어요.

② 진호와 진이는 사이좋은 [　　] 예요.

③ [　　] 이 아이들을 보고 있어요.

④ [　　] 위에 여러 가지 반찬이 차려져 있어요.

교실에서

TIP 이렇게 지도하세요!

아직 학교에 입학하지 않은 아이들이 교실에 가면 어떤 것이 있을지 먼저 생각해 보는 시간을 가지게 해 주세요. 교실에는 선생님과 친구가 있고, 책상과 의자, 공책, 연필 등 다양한 물건도 있음을 알려 주세요. 그런 다음 그림 속 사람이나 물건을 살펴보면서 글자를 큰 소리로 읽고, 따라 쓰도록 지도해 주세요.

상 글자의 짜임 알아보기

글자가 어떻게 만들어졌는지 잘 보고, 순서에 맞게 쓰세요.

1

ㅅ ㅓ ㅅ ㅐ ㄴ ㅣ
ㄴ ㅇ ㅁ

선생님

선	생	님	선	생	님

2

ㅊ ㅣ ㅍ ㅏ
ㄹ ㄴ

칠판

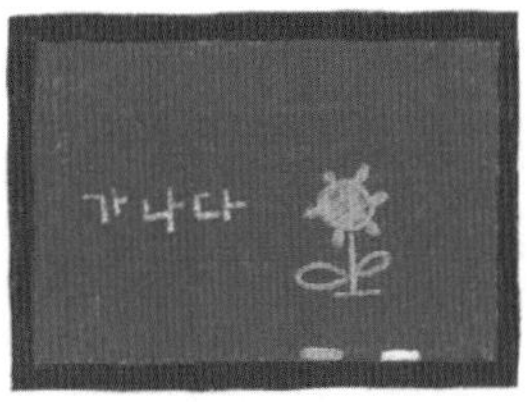

칠	판	칠	판		

TIP 이렇게 지도하세요! 아이가 처음에는 번호와 화살표를 보고 글자 쓰는 순서를 익히도록 도와주세요. 그 다음에는 번호만 보고 쓰고, 마지막에는 스스로 글자 쓰는 순서를 생각하며 쓰도록 지도해 주세요.

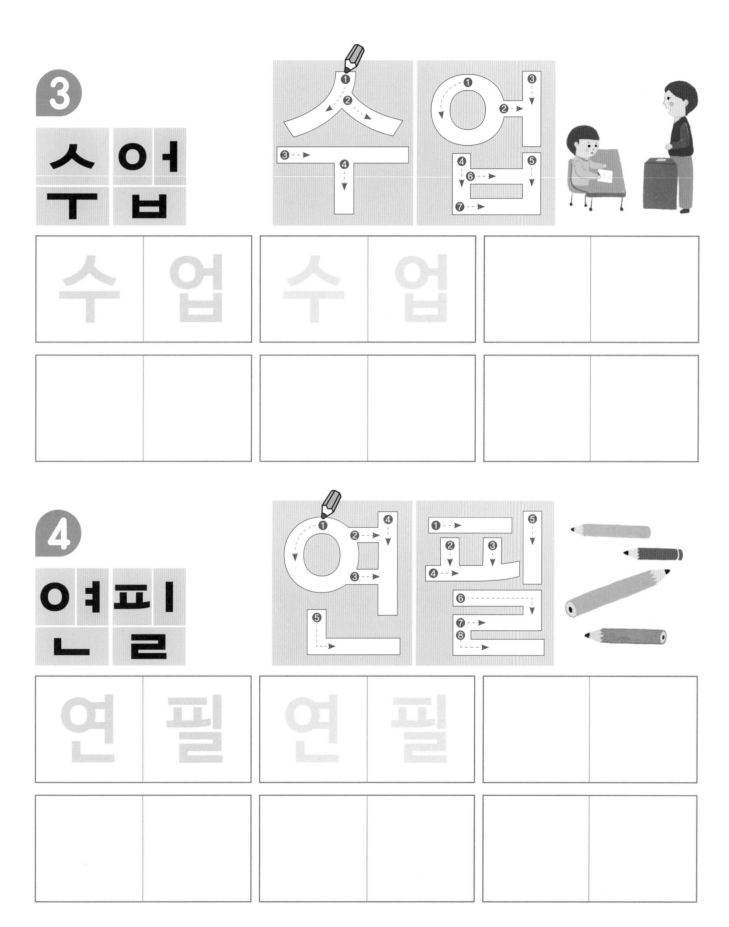

글자의 짜임

글자가 어떻게 만들어졌는지 잘 보고, 순서에 맞게 쓰세요.

5

친구

친구 친구

6

책상

책상 책상

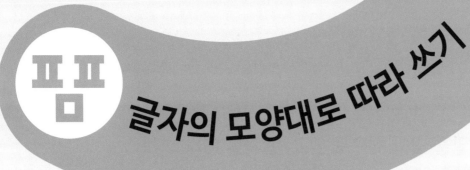

선 생 님

칠 판   칠 판

수 업   수 업

연 필   연 필

친 구   친 구

책 상   책 상

✅ 다음 그림에 알맞은 낱말을 찾아 선으로 잇고, 글자를 따라 쓰세요.

⊘ 그림을 보고, 빈칸에 알맞은 말을 **보기** 에서 찾아 쓰고 문장을 만들어 보세요.

보기   선생님   친구   칠판   책상

❶ 준수와 수진이는 ☐☐ 예요.

❷ 동희가 ☐☐ 에 글씨를 써요.

❸ ☐☐ 위에 연필과 물감이 있어요.

❹ ☐☐☐ 께서 우리를 가르쳐 주세요.

동물원에서 핫ㅎ

기린

타조

토끼

원숭이

무리

코끼리

TIP 이렇게 지도하세요!

　　동물원에 가 보았거나 텔레비전, 책 등을 통해 동물원을 보았던 경험을 떠올리게 해 주세요. 그림에 나오지 않은 동물뿐만 아니라 사육사, 조련사 등 동물원에서 볼 수 있는 사람들에 대해서도 설명해 주세요. 그런 다음 그림 속 낱말을 살펴보면서 큰 소리로 읽고, 따라 쓰도록 지도해 주세요.

상 글자의 짜임

✅ 글자가 어떻게 만들어졌는지 잘 보고, 순서에 맞게 쓰세요.

1

기린

기 린

2

타 조

타 조

③

토끼

토 끼   토 끼

④

무리

무 리   무 리

상 글자의 짜임

✓ 글자가 어떻게 만들어졌는지 잘 보고, 순서에 맞게 쓰세요.

5 원숭이

원숭이　　원숭이

6 코끼리

코끼리　　코끼리

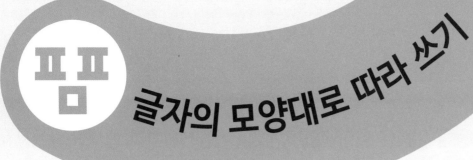

글자의 모양대로 따라 쓰기

😝 정확한 글자

◎ 다음 그림이 나타내는 동물 이름을 찾아 선으로 잇고, 글자를 따라 쓰세요.

· 기 린

· 타 조

◎ 다음 그림에서 볼 수 없는 동물을 찾아 이름 옆에 ○표 하세요.

원 숭 이 ( )

코 끼 리 ( )

두 루 미 ( )

🔵 그림을 보고, 빈칸에 알맞은 말을 보기에서 찾아 쓰고 문장을 만들어 보세요.

보기   기린   무리   원숭이   코끼리

❶ [　][　][　] 는 코가 길어요.

❷ 사자는 [　][　] 를 지어 살아요.

❸ [　][　][　] 는 바나나를 먹어요.

❹ [　][　] 은 몸에 얼룩점이 있고 목이 길어요.

공원에서 ㅎㅎ

햇볕

나들이

도시락

분 수

새 싹

산 책

TIP 이렇게 지도하세요!

　공원에 가 본 경험을 떠올리도록 해 주세요. 나무, 분수, 긴 의자, 자전거 등 공원에서 볼 수 있는 것에 대해 이야기를 나누고, 햇볕을 받으며 공원을 걸었을 때 아이의 기분이 어떠했는지도 말해 보게 해 주세요. 그런 다음 그림 속 낱말을 살펴보면서 큰 소리로 읽고, 따라 쓰도록 지도해 주세요.

❤️ 글자가 어떻게 만들어졌는지 잘 보고, 순서에 맞게 쓰세요.

1

나들이

나 들 이

나 들 이

2

햇볕

햇 볕

햇 볕

글자가 어떻게 만들어졌는지 잘 보고, 순서에 맞게 쓰세요.

5 새싹

새	싹
새	싹

6 산책

산	책
산	책

나들이

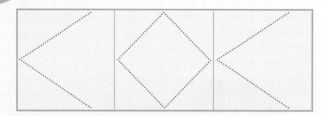

햇볕

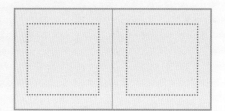

도시락

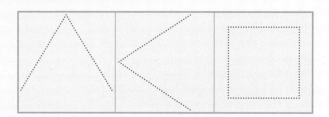

분수

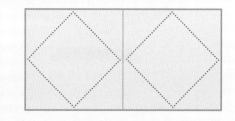

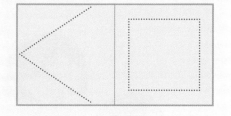

새싹

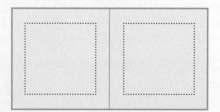

산책

정확한 글자

다음 그림에 알맞은 낱말을 찾아 선으로 잇고, 글자를 따라 쓰세요.

◎ 그림을 보고, 빈칸에 알맞은 말을 **보기**에서 찾아 쓰고 문장을 만들어 보세요.

보기 산책 햇볕 분수 도시락

❶ 공원에 ☐☐ 이 내리쬐고 있어요.

❷ 유정이는 강아지와 ☐☐ 을 해요.

❸ 진우네 가족은 ☐☐☐ 을 먹어요.

❹ ☐☐ 에서 시원한 물이 뿜어져 나와요.

과일 가게에서

ㅎㅅㅎ

사 과 앵 두 딸 기

앵두 한 박스
팔천 원

딸기 한 접시
오천 원

바나나
오천 원

가 격

복숭아

복숭아
천 원

레 몬

달콤한 포도
이천 원

TIP 이렇게 지도하세요!

　　좋아하는 과일이 무엇인지 아이와 함께 이야기를 나누어 보세요. 그리고 다양한 과일의 이름을 말하면서 각 과일이 어떤 모양과 맛인지 떠올려 보게 해 주세요. 그런 다음 그림 속 낱말을 살펴보면서 큰 소리로 읽고, 따라 쓰도록 지도해 주세요.

✔ 글자가 어떻게 만들어졌는지 잘 보고, 순서에 맞게 쓰세요.

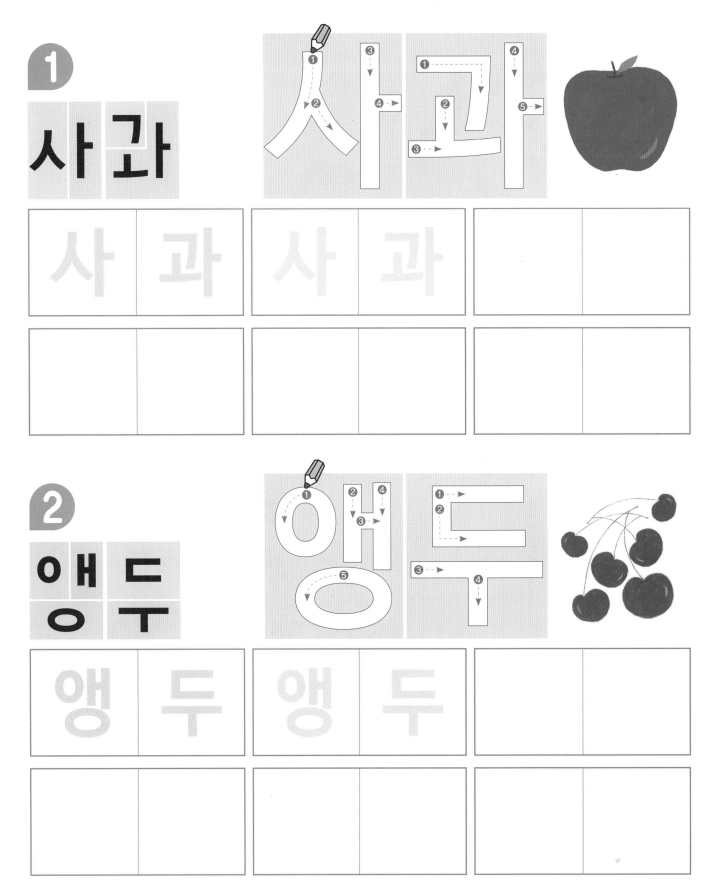

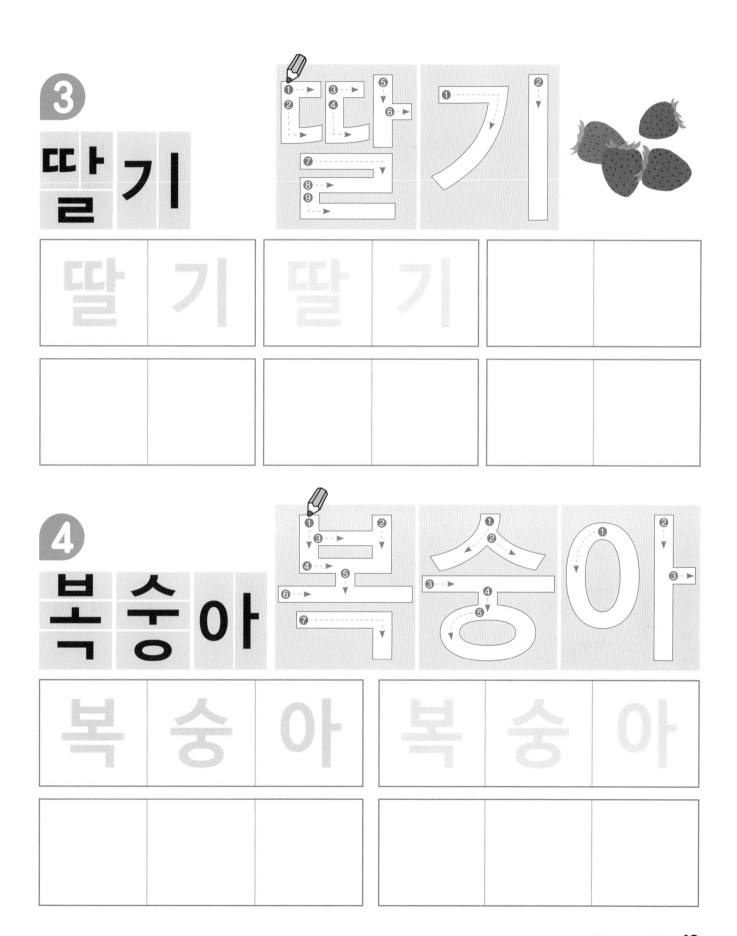

✅ 글자가 어떻게 만들어졌는지 잘 보고, 순서에 맞게 쓰세요.

5

레몬

레	몬	레	몬		

6

가격

가	격	가	격		

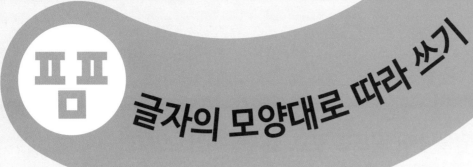

글자의 모양대로 따라 쓰기

사 과

앵 두

딸 기

복 숭 아

레 몬

가 격

◎ 다음 그림에 알맞은 낱말을 찾아 선으로 잇고, 글자를 따라 쓰세요.

사 과

딸 기

◎ 다음 그림을 보고, 화살표가 가리키는 낱말을 알맞게 채워 쓰세요.

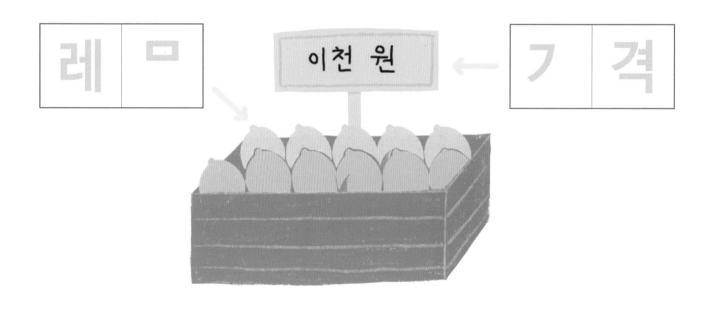

레 ㅁ

이천 원

ㄱ 격

✅ 그림을 보고, 빈칸에 알맞은 말을 보기 에서 찾아 쓰고 문장을 만들어 보세요.

보기　사과　레몬　가격　복숭아

❶ 포도의 [　　　] 은 이천 원이에요.

❷ 연수가 [　　　] 을 먹어 보고 놀랐어요.

❸ 슬기가 바구니에 [　　　] 를 담고 있어요.

❹ 아주머니가 [　　　　] 를 놓고 있어요.

텃밭에서

가 지

열 매

뿌 리

호 박

줄 기

배 추

TIP 이렇게 지도하세요!

상추, 배추, 무, 감자, 고구마, 가지, 호박 등의 채소를 먹어 본 경험에 대해 이야기한 뒤, 그것들이 어디서 자라는
지 이야기해 보세요. 그리고 이런 식물들이 뿌리, 줄기, 잎 등으로 이루어져 있다는 것을 알려 주시고, 그림 속 낱
말을 살펴보면서 큰 소리로 읽고 따라 쓰도록 지도해 주세요.

글자가 어떻게 만들어졌는지 잘 보고, 순서에 맞게 쓰세요.

1

가지

가지

가	지	가	지		

2

열매

열매

열	매	열	매		

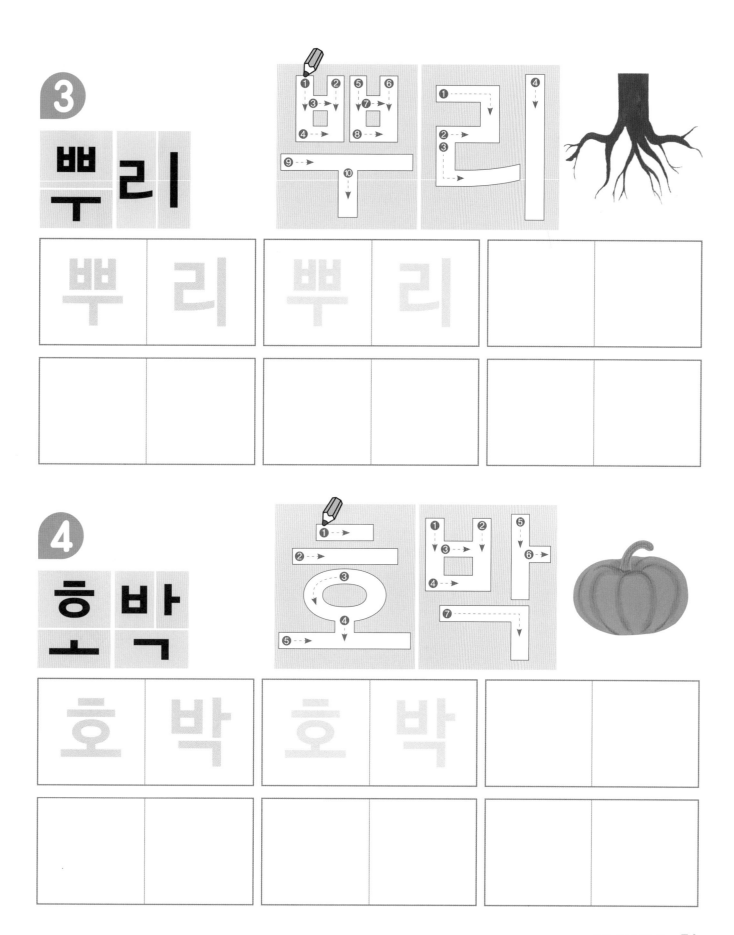

③

뿌리

호박

◉ 글자가 어떻게 만들어졌는지 잘 보고, 순서에 맞게 쓰세요.

5

줄기

줄	기	줄	기		

6

배추

배	추	배	추		

가 지

열 매

뿌 리

호 박

줄 기

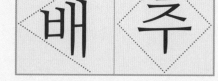
배 추

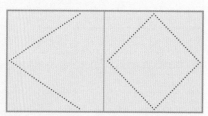

◉ 다음 그림에 알맞은 낱말을 찾아 선으로 잇고, 글자를 따라 쓰세요.

호 박

가 지

◉ 다음 그림에 알맞은 낱말을 바르게 쓴 것을 찾아 ○표 하고, 글자를 따라 쓰세요.

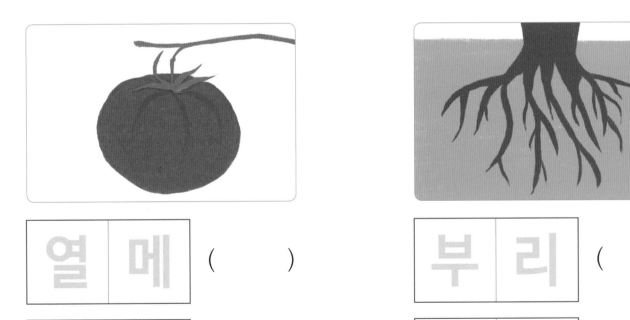

열 메 ( )

열 매 ( )

부 리 ( )

뿌 리 ( )

◎ 그림을 보고, 빈칸에 알맞은 말을 보기에서 찾아 쓰고 문장을 만들어 보세요.

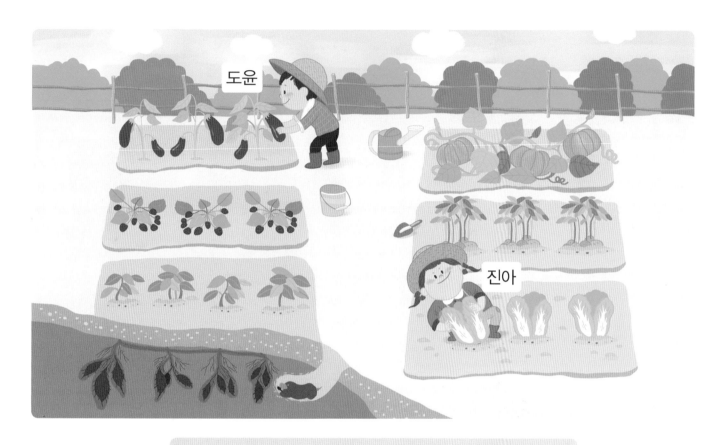

보기   호박   배추   뿌리   가지

❶ 고구마는 ☐☐ 식물이에요.

❷ 진아가 ☐☐를 뽑고 있어요.

❸ 노란 ☐☐ 세 개가 열렸어요.

❹ 도윤이가 ☐☐를 따고 있어요.

운동장에서 핫ㅎ

철봉

모래

배구

TIP 이렇게 지도하세요!

　그림을 보며 운동장에는 무엇이 있는지, 또 어떤 운동을 할 수 있는지 생각해 보게 해 주세요. 그리고 축구, 피구, 배구, 야구 등 운동장에서 할 수 있는 각 운동의 이름과 하는 방법을 간단하게 설명해 주세요. 그런 다음 그림 속 낱말을 살펴보면서 글자를 큰 소리로 읽고, 따라 쓰도록 지도해 주세요.

달리기

축구

농구

👌 글자의 짜임

◉ 글자가 어떻게 만들어졌는지 잘 보고, 순서에 맞게 쓰세요.

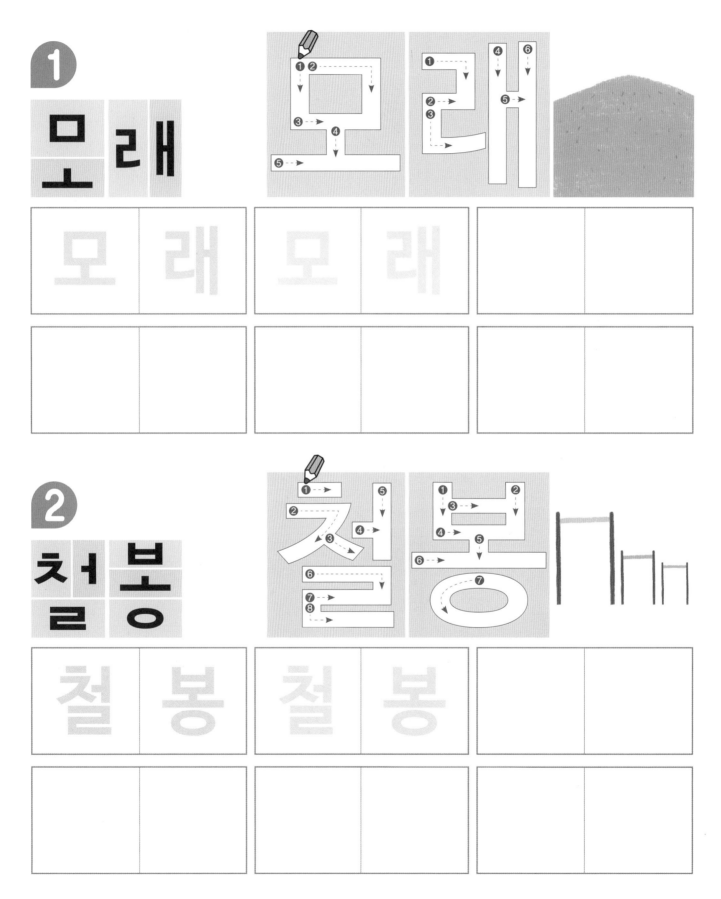

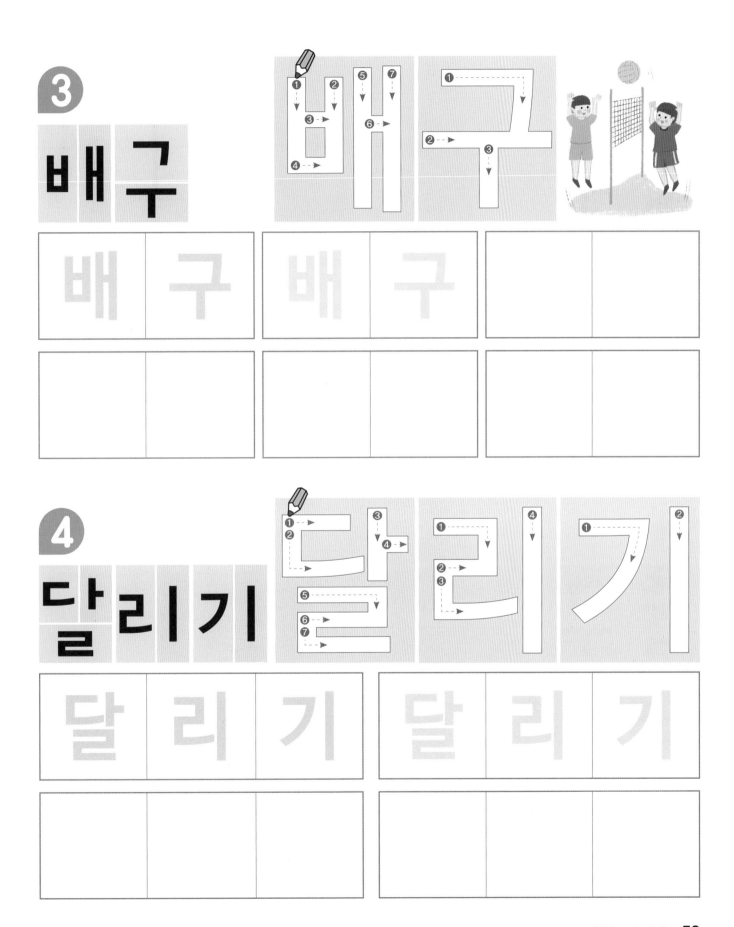

③

배구

④

달리기

글자가 어떻게 만들어졌는지 잘 보고, 순서에 맞게 쓰세요.

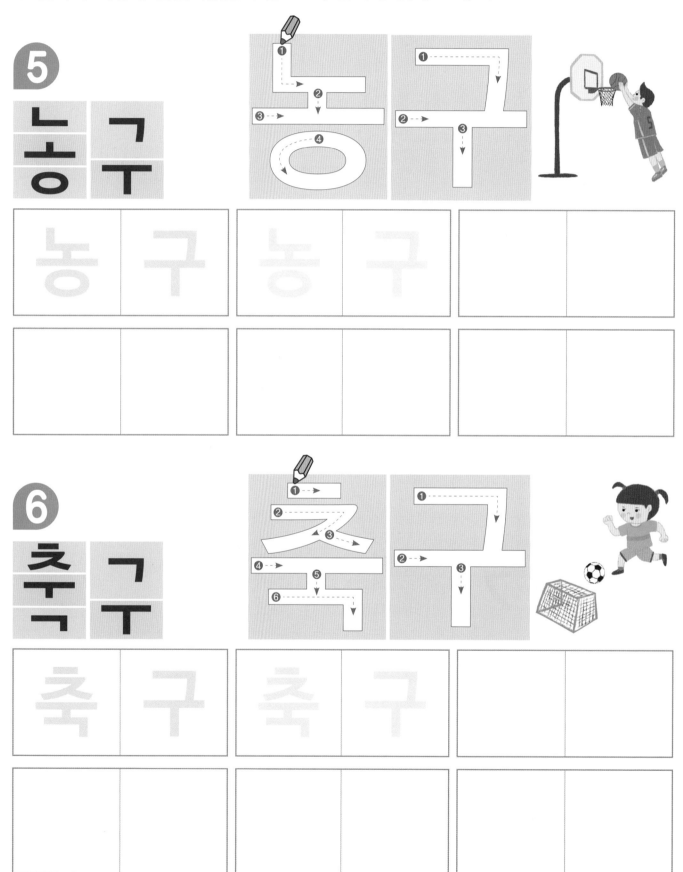

5 농 구

6 축 구

퐁퓸 글자의 모양대로 따라 쓰기

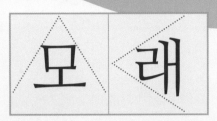  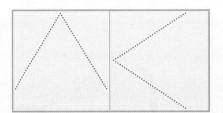

 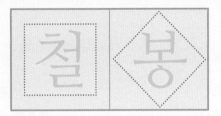 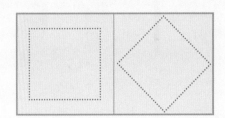

  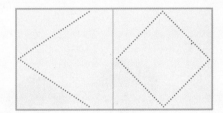

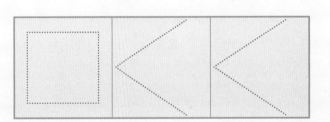

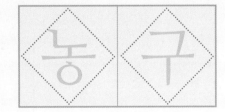 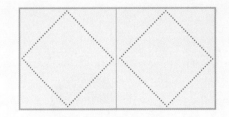

 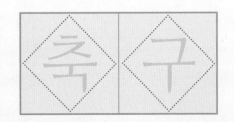 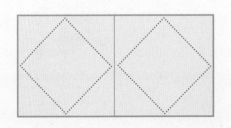

◆ 다음 그림에 알맞은 낱말을 찾아 선으로 잇고, 글자를 따라 쓰세요.

◎ 그림을 보고, 빈칸에 알맞은 말을 보기 에서 찾아 쓰고 문장을 만들어 보세요.

보기   모래   철봉   농구   달리기

❶ 현우는 친구들과 ☐☐ 를 해요.

❷ 수민이가 ☐☐ 에 매달려 있어요.

❸ 정수가 ☐☐☐ 에서 1등을 해요.

❹ 운동장에는 노란 ☐☐ 가 깔려 있어요.

산에서

ㅎㅎ

나무

버섯

개미

글자의 짜임

알아보기

상

글자가 어떻게 만들어졌는지 잘 보고, 순서에 맞게 쓰세요.

1

나무

나무

2

개미

개미

❸ 버섯

옹달샘

◎ 글자가 어떻게 만들어졌는지 잘 보고, 순서에 맞게 쓰세요.

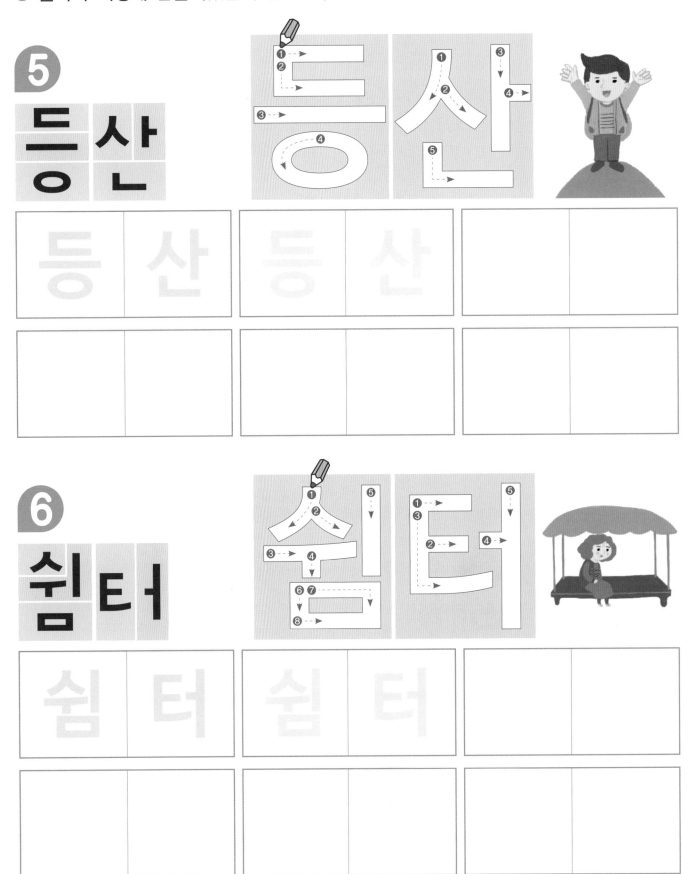

5 등산

6 쉼터

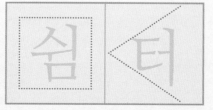
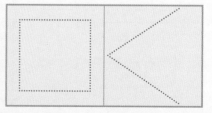

정확한 글자

✅ 다음 그림에 알맞은 낱말을 찾아 선으로 잇고, 글자를 따라 쓰세요.

✅ 다음 그림에 알맞은 낱말을 바르게 쓴 것을 찾아 ○표 하고, 글자를 따라 쓰세요.

등산 ( )

둥산 ( )

심터 ( )

쉼터 ( )

💙 그림을 보고, 빈칸에 알맞은 말을 보기에서 찾아 쓰고 문장을 만들어 보세요.

보기 　버섯　옹달샘　쉼터　개미

① [　　] 들이 줄지어 걸어가요.

② [　　] 에서 편히 쉴 수 있어요.

③ 나무 밑에 [　　] 이 자라고 있어요.

④ 토끼가 [　　　] 에서 물을 마셔요.

수족관에서

상어

잠수부

해파리

TIP 이렇게 지도하세요!

물속에서 사는 동물과 식물에는 무엇이 있는지 아이와 함께 이야기를 나누어 보세요. 그림 속 상어와 고래, 해파리, 수달의 특징도 떠올려 말해 보게 해 주세요. 그런 다음 지느러미와 물갈퀴가 헤엄을 칠 때 어떤 도움을 주는지, 수족관의 잠수부는 어떤 일을 하는지 등을 생각할 수 있도록 지도해 주세요.

고 래

수 달

물 갈 퀴

글자가 어떻게 만들어졌는지 잘 보고, 순서에 맞게 쓰세요.

1 해파리

해	파	리

해	파	리

2 상어

상	어

상	어

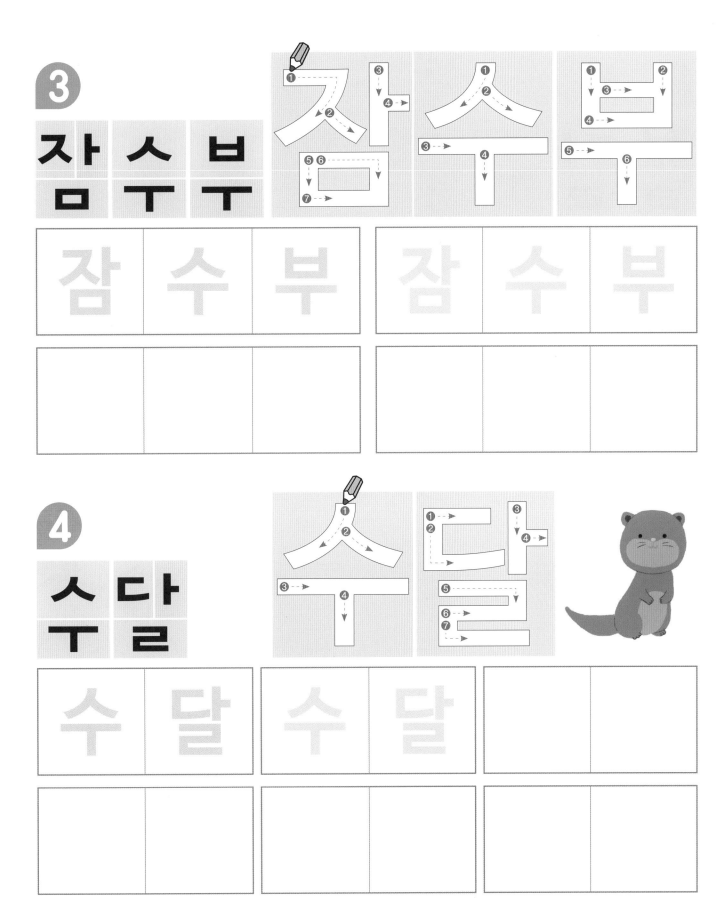

③ 잠수부

④ 수달

✔ 글자가 어떻게 만들어졌는지 잘 보고, 순서에 맞게 쓰세요.

5 물 갈 퀴

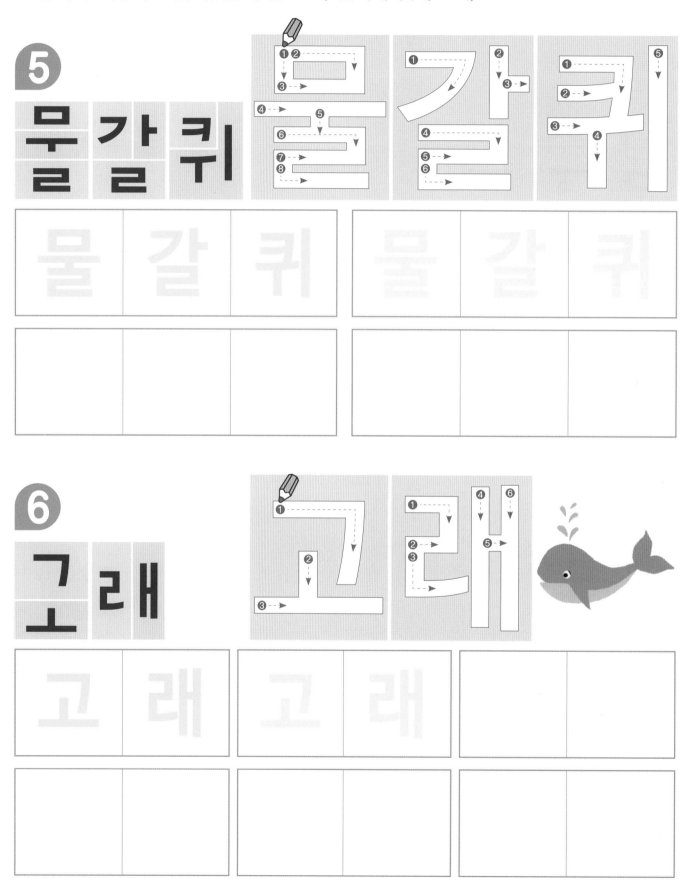

6 고 래

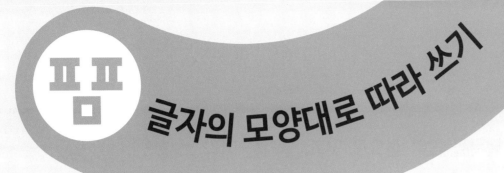

글자의 모양대로 따라 쓰기

해 파 리

상 어
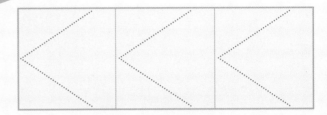

잠 수 부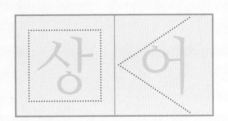
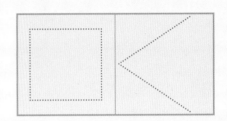

수 달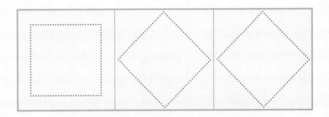

물 갈 퀴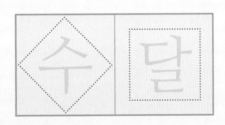
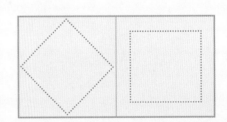

고 래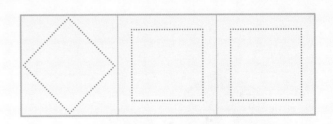

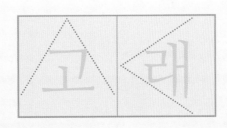
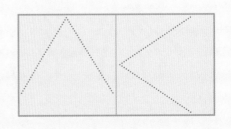

✅ 다음 그림에 알맞은 낱말을 찾아 선으로 잇고, 글자를 따라 쓰세요.

⊘ 그림을 보고, 빈칸에 알맞은 말을 보기 에서 찾아 쓰고 문장을 만들어 보세요.

도연

보기 잠수부 해파리 물갈퀴 상어

❶ ☐☐ 는 이빨이 날카로워요.

❷ 수달은 ☐☐☐ 가 있어요.

❸ ☐☐☐ 가 먹이를 주고 있어요.

❹ 도연이가 ☐☐☐ 를 가리켜요.

병원에서

ㅎ

의사

어 깨

무 릎

환 자

다 리

간 호 사

TIP 이렇게 지도하세요!

병원은 언제 가는지, 또 병원에 가서 무엇을 하는지 아이가 스스로 말해 보게 하세요. 그리고 머리, 어깨, 팔, 배, 다리, 무릎 등 우리 몸에 대해 알려 주시고, 병원에 가면 볼 수 있는 사람이나 사물에 대해서도 자유롭게 이야기를 나누어 보세요. 그런 다음 그림 속 낱말을 살펴보면서 큰 소리로 읽고, 따라 쓰도록 지도해 주세요.

글자가 어떻게 만들어졌는지 잘 보고, 순서에 맞게 쓰세요.

1

어깨

어	깨
어	깨

2

의사

의	사
의	사

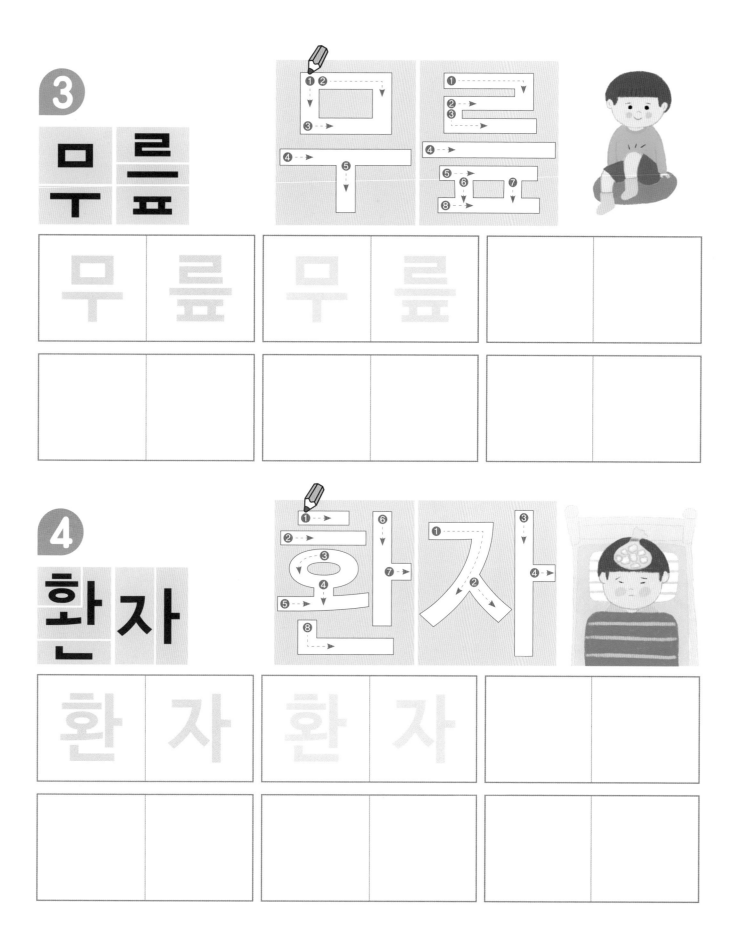

❸ 무릎

❹ 환자

글자가 어떻게 만들어졌는지 잘 보고, 순서에 맞게 쓰세요.

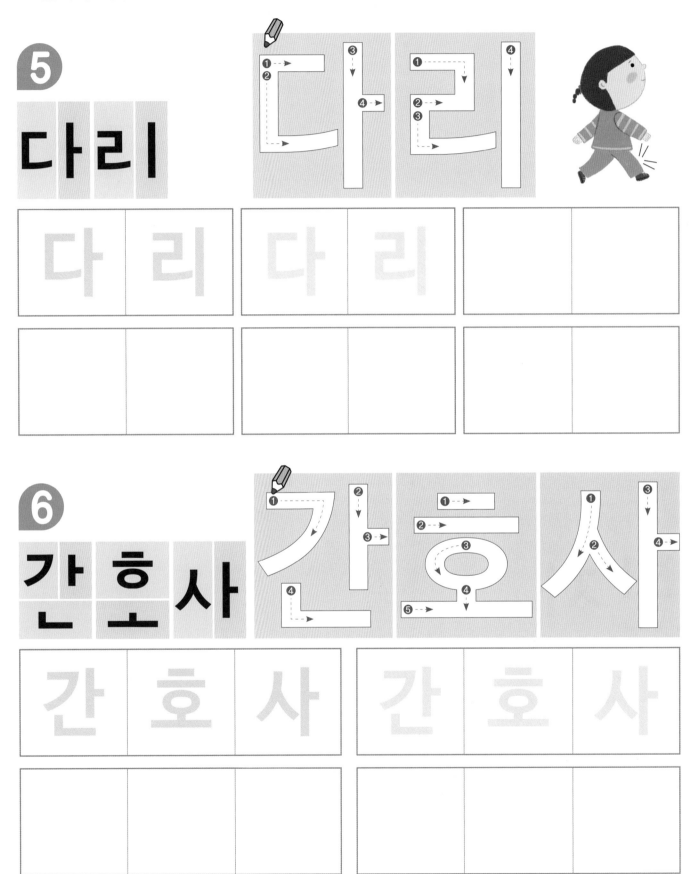

5 다리

6 간호사

팜프 글자의 모양대로 따라 쓰기

어 깨

의 사

무 릎

환 자

다 리

간 호 사

익혀쓰기

다음 그림에 알맞은 낱말을 찾아 선으로 잇고, 글자를 따라 쓰세요.

다음 그림에 어울리는 장소를 찾아 ○표 하고, 글자를 따라 쓰세요.

병 원 ( )

바 다 ( )

공 원 ( )

◎ 그림을 보고, 빈칸에 알맞은 말을 보기에서 찾아 쓰고 문장을 만들어 보세요.

보기　　어깨　의사　환자　간호사

❶ 수정이가 ☐☐ 를 잡고 있어요.

❷ 다리가 아픈 ☐☐ 가 누워 있어요.

❸ ☐☐ 가 수정이를 살펴보고 있어요.

❹ ☐☐☐ 가 환자를 돌보고 있어요.

여행지에서 핫ㅎ

왼 쪽

지 도

TIP 이렇게 지도하세요!

　　아이가 여행이나 나들이를 간 경험부터 떠올려 보게 해 주세요. 그리고 아이에게 오른쪽, 왼쪽, 위쪽, 아래쪽 등 방향과 관련된 낱말을 알려 주시고, 지도, 표지판과 같이 여행지에서 길을 찾을 때 활용할 수 있는 낱말에 대해서도 알려 주세요. 그런 다음 그림 속 낱말을 살펴보면서 큰 소리로 읽고, 따라 쓰도록 지도해 주세요.

위쪽

표지판

꽃담 마을 →

오른쪽

아래쪽

글자의 짜임 알아보기

글자가 어떻게 만들어졌는지 잘 보고, 순서에 맞게 쓰세요.

TIP **이렇게 지도하세요!** 뜻이 반대인 낱말인 '오른쪽', '왼쪽', '위쪽'과 '아래쪽'을 잘 알려 주시고, 이 낱말들이 모두 방향을 나타내는 낱말이라는 점도 함께 설명해 주세요. 특히 'ㅚ'와 'ㅟ'를 바르게 쓰도록 지도해 주세요.

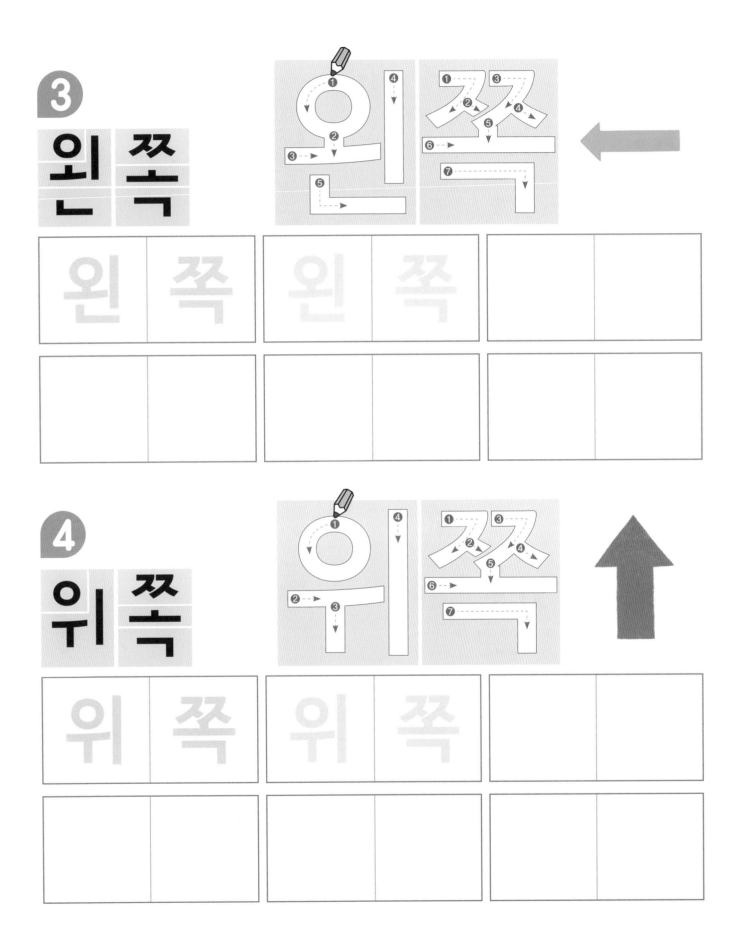

3 왼쪽

4 위쪽

✔️ 글자가 어떻게 만들어졌는지 잘 보고, 순서에 맞게 쓰세요.

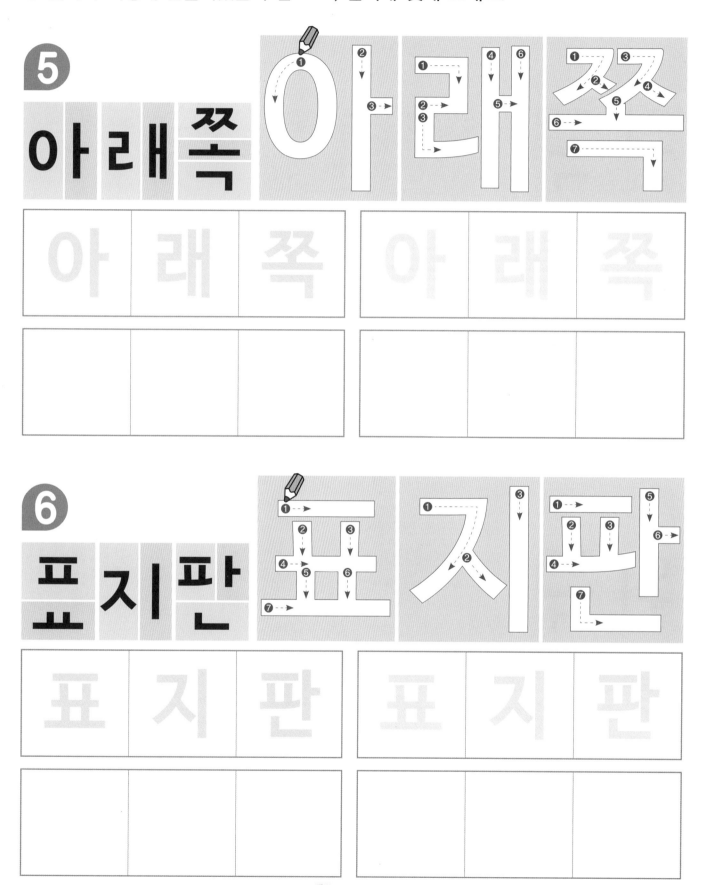

⑤ 아래쪽

⑥ 표지판

다음 그림에 알맞은 낱말을 찾아 선으로 잇고, 글자를 따라 쓰세요.

지 도

온 도

위 쪽

왼 쪽

표 지 판

신 호 등

◉ 그림을 보고, 빈칸에 알맞은 말을 보기 에서 찾아 쓰고 문장을 만들어 보세요.

보기   지도   왼쪽   표지판   아래쪽

❶ 지연이가 [　　　]를 보고 있어요.

❷ 절벽의 [　　　]에 마을이 있어요.

❸ 꽃담 마을을 안내하는 [　　　]이 보여요.

❹ 대나무 숲을 찾아가려면 [　　　]으로 가야 해요.

참 잘했어요

이름 _____

위 어린이는 7세 초능력 한글 쓰기 1단계를
성실하고 훌륭하게 마쳤습니다.
이에 칭찬하여 이 상장을 드립니다.

년   월   일